だいじょうぶ
自分でできる
親と離れて飛び立つ方法
ワークブック

著：クリステン・ラベリー
シルビア・シュナイダー
絵：ジャネット・マクドネル
訳：上田勢子

明石書店

What to Do When You Don't Want to Be Apart

A Kid's Guide to Overcoming Separation Anxiety

by Kristen Lavallee, Ph.D.
and Silvia Schneider, Dr. rer. nat.

illustrated by Janet McDonnell

もくじ

親と先生のための
まえがき

　はじめて一人でなにかをしたり、親から離れたりするのを、不安に思う子どもはたくさんいます。実際に、ほとんどの子どもは（生後7か月ごろから）親がそばにいないとストレスを感じるようになりますが、これは発達の一段階です。大きな子どもでも、親が長い時間そばにいなかったり、はじめて親と離れたりするときには、不安になることがよくありますが、これもいたって普通のことです。あなたも、はじめて学校に行った日や、遠くのサマーキャンプに行ったときに、こわい気持ちになったのを覚えているかもしれませんね。

　しかし、もっと激しい分離不安が長く続く子どももいます。初日に緊張するだけでなく、保育園や幼稚園、小学校へ通うあいだ、常にずっと不安が続くのです。このように、親から離れることが極端に不安なために、学校で一日を過ごすことが困難になることがあります。学校へ行きたくないと言う、一人で眠れない、ベビーシッターに預けられる（訳注：アメリカでは親の留守中、子どもをベビーシッターに預けるのが一般的）のを嫌がる、さらに自分の部屋に一人でいることさえ、怖がるようになることもあるでしょう。親と離

ればなれになる怖い夢を見たり、腹痛のような身体症状が表れることもあります。親や世話をしてくれる人と離れなくてはならないときに、かんしゃくを起こしたり、一緒にいてと懇願したりする子どももいるでしょう。こうした恐れがあると、独立心や責任感、また自分のことは自分ですること、というような、成長の重要な節目となることを身につけるのに苦労するかもしれません。

　分離不安は、だれでもときどきは経験するものです。しかし、子どもによってはもっと激しい状態になったり、いくつもの症状があったり、1か月以上も不安が続いたり、家族の日常生活に支障が出たりする場合もあります。こうした分離不安が認められる場合は、分離不安症と診断されるでしょう。正式な診断は、小児科医や児童精神科医によって行われます。この本は、分離不安症を含むさまざまな分離不安のある子どものために書かれました。もし、あなたの子どもに分離不安症があるのではないかと思ったら、専門家に相談するのがよいでしょう。

　分離不安にはさまざまな原因があります。子どもの気質、考え方のパターン、親自身の不安、そして親の離婚のようなストレスなど

のせいで、子どもが不安定な気持ちになることがあります。しかし幸運なことには、それがどんな原因であっても、子どもは恐れを乗りこえる方法を身につけることができるのです。

この本は、あなたが子どもと一緒に読むように作られています。少なくとも数日ごとに1章ずつ読んでいくことをお勧めします。そうすることで、前の章で習ったことを忘れずに、新しい章の内容を理解したり練習したりすることができます。この本で紹介する練習は、分離不安のある子どものための認知行動療法プログラムに基づいたもので、臨床研究によって効果が立証されています。

この本の中で重要な部分を占めるのが、親から離れる練習をすることです。練習をすることが、覚えた方法を使って子どもが達成感を得る機会になります。不安感は、練習や実際の分離の経験を重ねることで軽減されることが、調査によって示されています。そうした状況に慣れることで、不安感は大きくなるのではなく、しだいに小さくなるということを子どもが学ぶのです。練習すればするほど、恐怖感はだんだんと小さくなると、子どもは気がつくでしょう。分離の状況に慣れさせるプロセスを「馴化」と呼びます。自分でやるのがいいと思う親もいますが、心理士などと一緒に行う方がやりやすくてより効果的だと思う親もいます。もしあなたが、この本の練習を計画したり実行したりするのが難しいと思ったときは、子どもの心理の専門家に相談して助けてもらうことをお勧めします。

練習をしているときの子どもの不安感を軽減するために、親にできることがいくつかあります。

- 練習に必要な時間を十分にとりましょう。1～2週間、一つひとつの練習を毎回、集中力を保ちながら、子どもの不安感が少なくなるまで、1日15分でも2時間でも、必要なだけ時間をかけてあげてください。

- 練習する時間になったら、すぐに始めましょう。ぐずぐずすればするほど、何が起きるのだろうと、子どもの不安がつのります。これは「予期不安」と呼ばれるもので、それを乗りこえることは、練習において最も困難なことです！

- 次の練習までの間をあまり空けずに、少なくとも数日おきに練習をしましょう。

- 練習には、あなたの子どもが不安になるような状況を選びましょう。軽い不安から始めて、徐々に強い不安を感じる状況まで練習していきましょう。いくつか練習をしたあとで子どもが嫌がるようなら、もっと簡単な練習から始めて、ゆっくりと少しずつ難しい状況へと段階を上げていきましょう。

- 家庭、学校、ベビーシッターのところ、友だちの家といった、さまざまな場面について練習しましょう。

- 勇気ある行動を強化しましょう。褒めることは、子どもに与えられる最も簡単で自然なご褒美です。特別なごちそうとか、お気に入りの本やゲーム、お父さんやお母さんとなにか特別な遊びをする、といったご褒美を目標にするのもいいでしょう。

- 子どもの勇気を褒めると同時に、恐怖心や過度に不安がってとる行動については、注意を払わないようにしましょう。たとえば、子どもが学校に行くのを嫌がって泣いたとしても、大騒ぎしないようにしましょう。そして、話題を変えたり、ほかのことに注

意を向けさせたりしてみましょう。泣きや
んだら褒めて、その勇気をたたえましょう。

• 勇気のお手本を示しましょう。子どもが親
と離れる状況は、子どもが学んで成長する
機会なのだと、あなた自身が前向きにとら
えるのです。あなたがちっとも心配してい
ないことを、態度や明るい別れの習慣（た
とえば、にっこり笑って手を振る、軽くハ
グやキス、ハイタッチをするなど）で子ど
もに示しましょう。

子どもが深刻な不安や動揺を抱えつづけて
いて、それが家族や子どもの生活に影響する
ようなら、この「イラスト版　子どもの認知
行動療法」シリーズのほかの本が参考になる
かもしれません。あるいは、児童精神科医や
臨床心理士などの子どものメンタルヘルスの
専門家に直接相談すれば、親子一緒にこの問
題に取り組むことができるでしょう。

これは、子どもがもっと勇敢になって、独
り立ちができるようになるための旅です。楽
観的にとらえましょう。あなたは、子どもの
最強の応援団です。学校やキャンプや友だち
の家で、新しいことを学んで帰ってくるわが
子を、あなたは家で受けとめてあげましょう。
前は怖がっていたのに、今はとても堂々とし
てるよと、振り返ってあげてもいいでしょう。
子どものそばにいないときでも、あなたはも
う安心していられます。怖がったり悲しんだ
りしているのではないかと、常に心配しなく
てもいいのです。それってすばらしいことで
はありませんか！

第1章

気球に乗ってみよう！

　気球のパイロットは、すてきな冒険をするんだよ。空を飛んで、見たことのないものを見たり、広い世界のあらゆることを知ったりすることができる。でも、飛んでいないときのパイロットは、家で家族といっしょにいたり、友だちと過ごしたりしている。いっしょにご飯を食べたり、おしゃべりをしたりして楽しむんだ。パイロットも、はじめは気球で飛ぶのがこわいと思うかもしれない。でも、ゆっくりと低いところから始めれば、だいじょうぶなんだよ。そして、高い空へと上がれば……、とてもすてきな眺めが見える！

きみも気球のパイロットになって、空高く飛んでいるところを想像してみよう。さあ、どこへ行こうか。高いところからはなにが見えるかな？　きみが見たいものを、絵にしてみよう。

「気球で空を飛ぶのっておもしろそう！」と思う子も、「ひとりで飛ぶなんてこわいよ」と思う子もいるだろう。

親や家から離れて、自分ひとりで気球を操縦することを、単独飛行というよ。親は、操縦のしかたを教えてくれたり、はげましてくれたりするかもしれないけど、飛んでいるときは、きみひとりで気球を操縦するんだ。ほかの子たちも、親から離れてきみの気球のまわりを飛んでいるかもしれない。学校にいるときみたいにね。みんなといっしょに飛んでいても、ひとりひとりが自分の気球のかじをとっているんだ。

自分ひとりでなにかをしたり、はじめて親から離れたりすることを、こわいと思う子もいるよ。ところで、この本には「親」とか「お父さんやお母さん」という言葉がよく出てくるけど、家族のかたちはみんな同じではないよね。お母さんと住んでいる子、お父さんと住んでいる子、両親と住んでいる子もいれば、お母さんが２人いる子や、お父さんが２人いる子もいるだろう。おじさん・おばさん、おじいさん・おばあさん、里親や、お世話をしてくれるほかのだれかと住んでいる子もいるかもしれないね。

　どんな家族でくらしていても、ひとりで寝たり、学校や友だちの家に行ったりするのがこわいと思う子はいるんだ。ひとりぼっちでこわくなった夢を見ることもある。きみにもこんなことがあるかな？

　お父さん・お母さんや、お世話をしてくれる人から離れるのがこわいのは、こんなときかもしれない。

- 学校へ行くとき
- 自分のベッドでひとりで寝るとき
- ベビーシッターに預けられるとき
- 学校の旅行や夏休みのキャンプに行くとき
- 友だちの家に泊まりに行くとき

きみはどう？　お父さんやお母さんから離れ（はな）るのがこわいのは、どんなとき？　下の絵の中に書いてみよう。

親と離れ（はな）るのがこわいとき

ひとりになるのがこわすぎて、ふだんの生活を送ることまでたいへんになってしまう子もいる。ひとりで気球に乗るのが不安だと、ちがう場所からこの美しい世界を見ることもできなくなる。

　でも、だいじょうぶ！　親から離れるのがこわくても、その気持ちに立ち向かう方法があるよ。この本には、そんな方法がたくさんのっている。本の中の役立つアイデアをいくつか試してみよう。練習すれば、離れる不安を乗りこえられるようになる。そして、自信あふれる優秀なパイロットになって、きみ専用の気球を操縦できるようになるよ！

第2章

不安ってどんな気持ち？

こわい気持ちになることは、だれにでもある。大人にだってあるんだ！

こわい気持ちになるのはけっこうふつうのことだし、それがいつも悪いことだとはかぎらない。きみを助けてくれることさえあるんだよ！

大昔、きみの祖先が野生のヒョウに出くわしたとき、呼吸が速くなって心臓がバクバクしただろう。そんなときに大切なのが、恐れという気持ちだったんだ。

恐れは、体が自分を守る準備をするのを助けてくれる。体の出す信号に注意をすることで、ヒョウとたたかったり、安全な場所へ逃げたりすることができるんだ。

16

ヒョウにばったり出会うことなんて、今の時代にはありえないよね！　でも、たとえば車がビュンビュン通る道をわたるときのように、こわい思いをすることはときどきあるだろう。そんなときにこわい気持ちになるのは、ふつうのことなんだ！　きみの体が、こわい場面からきみを守る準備（じゅんび）をしているということだからね。

　ときどきこわい気持ちになるのはふつうのことだけど、「危険（きけん）がないときでも、こわくなることがあるよ」と言う子もいるだろう。こわいと思っても、本当は危険（きけん）ではない場合がある。これが **不安（ふあん）** というものだよ。**不安（ふあん）** になると、実際（じっさい）はとても安全なのに、危（あぶ）ないと考えてしまって、こわい気持ちがずっと続（つづ）くんだ。

　第1章（だいしょう）で、ひとりでいるのがこわい、という話をしたよね。ひとりになるのがとてもこわくて、学校へ行きたくなくなる子や、ほかの子が楽しいと思うようなこともしたくなくなる子もいる。こんな **不安（ふあん）** には、**分離不安（ぶんりふあん）** という名前がついているよ。

18

不安（ふあん）は、体のいろいろな部分で感じることができる。動物を見てみよう。動物も恐（おそ）れを体で感じているよ。たとえば、ネコはこわがっているとき、背中（せなか）を丸めて毛をさか立てるよね。

不安になるときみの体にも、いろいろなしるしが表れる。心臓がバクバクしたり、おなかが痛くなったり。汗をかくかもしれないね。

不安を体のどこで感じるかは、人によってちがう。きみはどう？お父さんやお母さんと離れなくてはならないとき、どんな気持ちになるか、下の絵で当てはまるものに〇をつけよう。

頭がクラクラする

心臓がバクバクする

呼吸が速くなる

手のひらに汗をかく

おなかが痛くなる

足がふるえる

親と離れなくてはならないとき、ほかにどんな気持ちになるか、書いてみよう。

_____

_____

_____

_____

_____

_____

_____

_____

_____

_____

　体のあちこちだけでなく、いろいろな考えや行動の中にも、不安があることに気づくかもしれないね。気持ちと考えと行動は、みんなつながっているんだよ。

どういうことかというと、「お母さんがもどってこなかったらどうしよう」と不安な考えになったり、足をバタバタさせてお母さんにしがみついて離れないというような不安な行動をとったりする。そうしたら、不安な気持ちで痛くなったおなかが、もっと痛くなるということだよ。

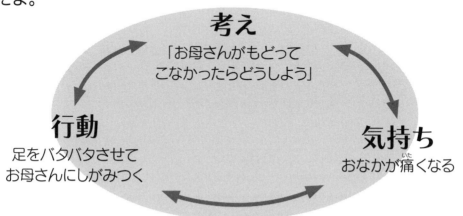

こんな場合はどう？　夜、寝る時間になってベッドに入っても、目をつぶろうとしなかったり、「お水が飲みたい！」とお父さんやお母さんを何度も呼んだりしたらどうだろう？　こんな行動をしていたら、きみもつかれてイライラするし、そのせいで、不安な考えがもっとひどくなってしまう。

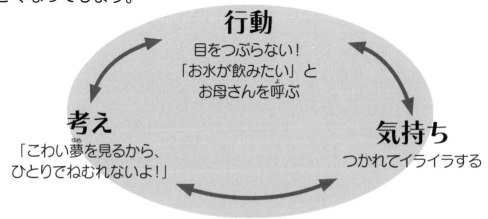

ジョーは、送ってきてくれたお母さんと教室の入り口で別れるとき、汗がふき出て足に力が入らなくなる。そんなふうに不安を感じはじめると、「学校なんて、ちっともおもしろくない」と考えて、体がかたまって動かなくなってしまう。そして、もっとつらい気持ちになるんだ。

　下の図に、ジョーの**考え**と**行動**、そして不安な**気持ち**をジョーがどんなふうに体で感じているかを書いてみよう。

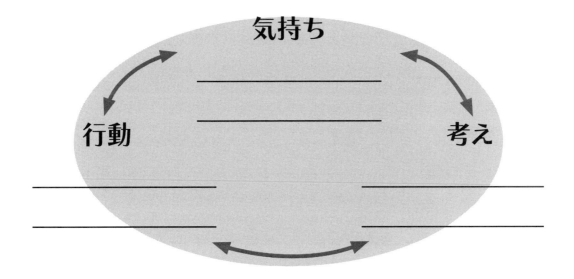

　でも、だいじょうぶ。ジョーがよい気分になるための考え方や行動のしかたがあるんだ。きみも、いっしょに覚えよう！　つぎの章では「飛行訓練」を始めるよ。考えや行動をどう変えれば、気分が悪くならずに、よい気分でいられるかを覚える訓練だよ！

第3章

まず視界をチェック！

　パイロットが飛ぶ前にまずすることは、視界のチェックだ。遠くまでよく見えるか、目の前をじゃまする黒い雲などなくて、飛行にふさわしい晴れた日かどうかを、確かめることだよ。

　第2章に出てきた、考えと行動と気持ちが作る輪を思い出して。この3つは、おたがいにつながっているんだったね。

　ということは、きみの**考え**しだいで、きみの**気持ち**ときみの**行動**が変化するんだ。

　でも、ときには、考えることで **不安** がもっと大きくなることもあるかもしれないね。

　そんな考えは、空をおおう黒い雲みたいなもの。雲のせいで、目の前がはっきり見えなくなってしまうんだ。

お母さんやお父さんから離れるのが心配な子は、こんなことを考えているのかもしれない。

ベビーシッターは
やさしい人じゃないかも。
きっと楽しくないよ

出かけたお母さんに
悪いことが起きて、
帰ってこられなくなる
かもしれない！

学校でいつも迷子になる。
どこに行けばいいか、
わからなくなったら
どうしよう？

ベッドの下に
おばけがいて、
寝ているあいだに
食べられちゃうよ！

こんなことを考えると、**不安**は小さくなるだろうか、それとももっと大きくなるだろうか？　親と離れてひとりになるのはつらいことかもしれない。でも、こんなことを考えていると、もっとつらくなるよ。きみをもっと**不安**にするような考えを、**役に立たない考え**というんだ。

でも、だいじょうぶ！　**役に立たない考え**は、たいてい本当のことではないんだ。「絶対」「いつも」「ムリ」といった言葉にはご用心！　きみの考えの中に、こんな極端な言葉があったとしたら、ほとんどの場合、それは本当に起こることじゃない。だから、きみの

役に立たない考えに対抗して、それを**現実に合う考え**に変えてみよう。現実に合う考えは、役に立たない考えよりも、もっと本当で確かなことなんだ。

たとえば、こんなふうに**現実に合う考え**に変えることができるよ。

好きなゲームを
わたしが選んで、
ベビーシッターと
いっしょに遊ぼう

いつもお母さんは
ちゃんともどってくるから、
今度もきっと帰ってくるよ

いつも迷ってばかりではないし、
わからなくなったら
先生に聞けばいいんだ

おばけなんて
いないさ

ほかにもある？　考えて書いてみよう。

カーラは、友だちのジャナの家に泊まりに行くのがこわい。お父さんやお母さんがそばにいないあいだに、きっと自分になにか悪いことが起きると思うからなんだ。いろいろなごちゃごちゃした考えが、頭の中をかけ回る。その中には、**役に立たない考え** もあるよ。それを **現実に合う考え** に変える方法を、カーラに教えよう。左の **役に立たない考え** と、右の **現実に合う考え** を線で結んでね。

役に立たない考え

- ジャナの好きなゲームがあっても、どうやって遊ぶのかわからないよ

- ジャナの家のごはんは、わたしが食べられないものかもしれない

- ジャナのお父さんやお母さんと、なにを話せばいいんだろう。きっと頭が悪いと思われるよ

- お母さんがわたしに会いたくて、夜中に泣いちゃうかも

現実に合う考え

- 知らないゲームは、遊び方を教えてもらったり、説明書を読んだりすれば覚えられるよ

- ジャナのお父さんとお母さんはギターをひくから、わたしも今ギターを習ってるって話そう

- お父さんとお母さんは、きっと映画を見に行って、楽しく過ごすだろう

- わたしも、ジャナの好きな食べものが好きになるかもしれない

28

きみも練習すれば、**役に立たない考え** に対抗する、**現実に合う考え** ができるようになるよ！ 親と離れるのが不安だったときのことを思い出してみよう。そのときにうかんだ **役に立たない考え** を、下の雲の中に書いてみよう。

さあ、今度は、それに立ち向かう **現実に合う考え** を、太陽の光線の上に書いてみよう。

太陽の光は黒い雲を焼ききってしまう。そうすれば、はっきり見えるようになるよ。きみの視界が良好になるということさ！

第4章

バーナーに火をつけよう

　気球の高度をもっと上げるには、気球の中にあるバーナーの温度を高くしなくてはならない。パイロットがバーナーの温度を上げるほど、気球は高く飛べるんだ。

　上向きの考え方をして自分を信じることは、気球の温度を上げるのと同じことだよ。気球を暖かい空気でいっぱいにするとよく飛ぶように、**上向きの考え**も、みんなの気分をもり上げて、勇気をあたえてくれるんだ！

上向きの考え方をすることは、自分にはげましの言葉をかけること
だよ。たとえば、友だちが舞台に出たり、キャンプに行ったりするよ
うな、勇気のいることをしなくてはならないとき、きみはどう言って
はげましてあげればいいだろう？

上向きの考え方をして、自分を信じれば、きみもきみ自身のいい友だちになれるよ！　上向きの考えは、自分をはげまして自信がわいたり、自分は強いんだってことを思い出したりできる考えなんだ。

上向きの考え には、こんなものがあるよ。

「学校に行くと、すごくたくさんのことを学べるよ」

「休み時間にあの子と遊ぼう」

「図工の時間にステキな絵を描いて、お母さんにあげよう」

「友だちの家で、おもしろい映画をいっしょに見るんだ」

「ベビーシッターといっしょに、おいしいブルーベリーパイを焼こう」

「ひとりでいるときでも勇気を出して、平気でいられるよ」

「学校には、たよりになる友だちがいるんだ」

「おじいちゃんとおばあちゃんはわたしのことが大好きだから、遊びに行けてうれしいな」

「やろうと思えば、きっとできる！」

おや、つぎの絵の子どもたちは、**役に立たない考え** 方をしているよ！　そんな考えに対抗する **上向きの考え** をふきだしに書いて、気分がよくなるように助けてあげよう。

キャンプに行ったら、
お父さんもお母さんも、
わたしのこと忘れ
ちゃうかも

水泳教室には
だれも知ってる
子がいないし、
友だちも
できないよ

ぼくが学校に行って
いるあいだ、お父さんは
弟といっしょにいるから、
きっと弟のほうを
もっと好きになって
しまうだろうな

ほかにも考えてみよう。気球が暖(あたた)まって高く飛(と)ぶように、全部の気
球に上向(うわむ)きの考えを書いてみよう。

　今度はメモ用紙に、きみの好きな **上向きの考え** をいくつか書いてみよう。それを折りたたんでポケットに入れておいて、上向きの考えを思い出したいときはいつでも、取り出して見るといいよ。たとえば、お父さんやお母さんがきみを家において出かける用意をしているときなんかに見てみよう。スマホを持っているなら、上向きの考えをいつでも思い出せるように保存しておいてもいいね。黒い雲みたいな **役に立たない考え** 方がうかびはじめたらいつでも、**現実に合った上向きの考え** を思い出そう。

第5章

おもりをはずそう

　気球が勝手に飛ばないように、気球に砂袋のおもりがぶら下がっているもことがある。飛び立つときにはまず、気球を押さえている砂袋のひもをほどかなくてはならないんだ。

第3章と第4章で、考えのことを話したよね。今度は、家や両親から離れなくてはならないときに、どんなことを**する**かを考えてみよう。覚えてる？　考えと気持ちと行動はみんなつながってるんだったよね。きみの**する**ことしだいで、きみの**考え**と**気持ち**は変わるんだ。

お父さんやお母さんから離れてひとりになるのが不安なとき、こんなことをする子がいるかもしれない。

• お母さんにしがみついて離さない

•「行っちゃいやだ！」と、
　お父さんに向かってさけん
　だり、どなったりする

• 先生に、お母さんにむかえ
　に来るよう電話してくださ
　いと、5分おきにたのむ

• お父さんが帰ってくるよう
　に、病気のふりをする

きみは、こんなことをしたことはあるかな？　こんな行動は、気球が飛べないように押さえつける砂袋のようなものだよ。

自分を押さえつけている行動には、どんなものがあるだろう？　下の絵の気球にぶら下がっている砂袋に、そんな行動を書いてみよう。

こんな役に立たない
行動が、砂袋（すなぶくろ）のように
きみを押（お）さえつけていても、
だいじょうぶだよ。役に立つ
上向（うわむ）きの行動が、いろいろ
あるんだ！

上向（うわむ）きの考え と同じ
ように、**役に立つ行動** も、
火のように気球の温度を上げて、
きみを高く持ち上げてくれるよ！

たとえば、親と離（はな）れる **前に**
できる役に立つ行動には、こんなのがあるよ。

学校に行く前や、ひとりで寝（ね）る前、きみがベビーシッターとるすば
んをして両親が食事に出かける前などに、やってみよう。

- お父さんとお母さんに「楽しんできてね」と言う

- お父さんに、きみの気持ち（悲しいとか、こわいとか）を伝えて、「でもがんばってみる」と言う

- お父さんとお母さんに、「勇気を出してみるよ」と言う

- 「行ってらっしゃ～い！　またね～！」とおどけて言う

- お母さんをハグしてから、家の中に入る

- 深呼吸をして 10 まで数える

- 先生に、「不安だけどがんばります」と言う

- お母さんにはげましてもらう

　「バイバイ」と言うのがつらいという子もいるよ。今度いつお父さんやお母さんに会えるかが、わからない言葉だからね。「さようなら」という言葉がない国もあるんだ。かわりに「またすぐ会いましょう」「また会うときまで」と言うんだって。こんな言い方なら、一生の別れじゃなくて、またすぐに会えるってことがはっきりわかるよね。きみもその方がよければ、「バイバイ」のかわりに「またあとでね！」と言ってみよう。

お父さんやお母さんがいない**あいだ**には、こんな **役に立つ行動** をするといいよ。

- お気に入りの本を読む
- 帰ってきたお父さんやお母さんのために、プレゼントを作ってびっくりさせる
- お気に入りのゲームをする
- 深呼吸をする
- 友だちをハグする
- ペットをだっこする、いっしょに遊ぶ
- ベビーシッターと遊ぶ
- 学校の休み時間にできる遊びを考える
- 音楽をきく、曲を作る
- 宿題をする
- 友だちと電話で話す
- 特別な貝がらや石などを、お守りにしてにぎりしめる
- 力を入れて手をぎゅっとにぎってから、ゆるめる。顔や腕、足やおなかの筋肉でもやってみよう
- ジャンプをする、その場でかけ足をするなどの体操をする
- 本やおもちゃを片づけて、気持ちも整理してみよう

きみがどこかへ行く前や、お父さんやお母さんが出かける前、それから親がそばにいないあいだにできる、**役に立つ行動** がほかにもないか、考えてみよう。

親と離れる前にできること

_____

_____

_____

_____

_____

_____

親がそばにいないあいだにできること

_____

_____

_____

_____

_____

考え－気持ち－行動の輪を思い出して。ここまでで覚えた、役に立つ考えや行動がおたがいに、どんなふうにつながっているか考えてみよう。

お父さんとお母さんが夜、学校の保護者会に出かけているあいだ、エリスはベビーシッターとるすばんだ。はじめは、親と離れてひとりになるのがとても心配で、泣きながらお母さんにしがみついて離そうとしなかった。

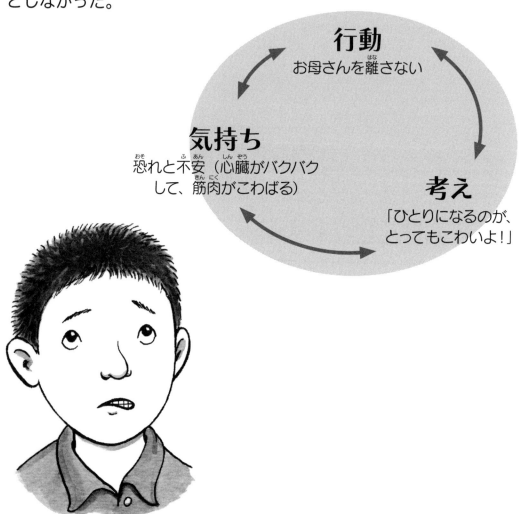

行動
お母さんを離さない

気持ち
恐れと不安（心臓がバクバクして、筋肉がこわばる）

考え
「ひとりになるのが、とってもこわいよ！」

でも、エリスが **役に立つ行動** をしてみたら、こんなふうに気持ちと考えが変わったよ。

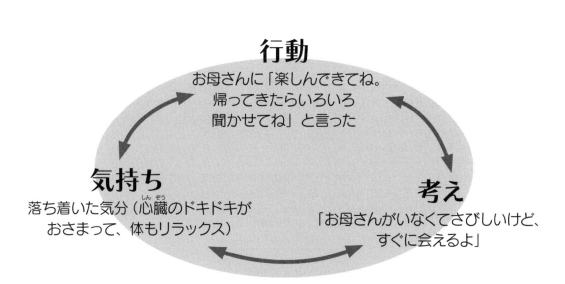

行動
お母さんに「楽しんできてね。帰ってきたらいろいろ聞かせてね」と言った

考え
「お母さんがいなくてさびしいけど、すぐに会えるよ」

気持ち
落ち着いた気分（心臓(しんぞう)のドキドキがおさまって、体もリラックス）

さあ、エリスのために考えよう！ つぎのような行動をしたら、エリスの考えと気持ちはどう変わるだろう？

行動　➡　考え　➡　気持ち

帰ってきたお母さん
にあげる絵を描く

——————　——————
——————　——————
——————　——————
——————　——————
——————　——————

行動　➡　考え　➡　気持ち

ベビーシッターと
いっしょにできる
ゲームを選ぶ

——————　——————
——————　——————
——————　——————
——————　——————
——————　——————

行動　➡　考え　➡　気持ち

レゴでなにかを作っ
て、帰ってきたお母
さんに見せてあげる

——————　——————
——————　——————
——————　——————
——————　——————
——————　——————

今度はきみの番だよ。これから何日かのあいだ、きみが親から離れなくてはならなかったときに、したことと考えたこと、そのときの気持ちを記録してみよう。体のどこで、どんな感じがしたかも書こう。

	1回目	2回目	3回目
どこで？			
何をした？			
考えたこと			
そのときの気持ち			

気分がよくなるように、**現実に合う考え**や**上向きの考え**、**役に立つ行動**ができたかな？

第6章

ゆっくり時間をかけて

気球に乗って、空を飛んでいるところを想像してごらん。

空へとゆっくり上っていくにつれて、下に見える木々がどんどん小さくなっていくよ。そのうち、草原や森の全体を見わたせるようになるんだ！

気球の操縦とレーシングカーの運転は**まったくちがう**。できるだけ早くゴールに着いて、レースを終わらせるのがいいわけじゃないんだ。気球に乗ったら、ゆっくり時間をかけて、ゆうゆうとまわりの景色を楽しむことができる。

練習にも、じっくり時間をかけるのが大事だよ。そうすれば、空高く上っていくのに慣れることができるからね。

それがどういうことかを考えてみよう。

きみは自転車に乗る練習をした
ことがあるかな？　はじめは
すごくむずかしかったけど、
練習していくうちに、転ば
ないでしっかり乗れるよう
になったよね！

水泳も同じだ。はじめはむずかしくても、練習すればバタ足ができ
るようになって、息つぎだってできるようになるかもしれない。

そのほかに、はじめはむずかしかったけど、練習して上手になったことがあれば、下に書いてみよう。

絵や文でかいてみよう

はじめはこわいと思ったことを考えてみよう（たとえば、自転車や水泳を習ったときのことや、前のページにきみが書いたことなどをね）。

　つぎに、それがどれだけこわかったかを、下の絵から選んで○をつけよう。左の列は、はじめて試したときの気持ちで、右の列はしばらく練習したあとの気持ちだよ。○をしたら、選んだ２つの絵を、線で結んでみよう。

　どう？　時間がたつと、こわい気持ちが小さくなったよね。それに、何度も練習しているうちに、練習を始めるのもこわくなくなってくるよね。

今度は、お父さんやお母さんと離れるときの不安な気持ちのことを考えてみよう。

きみは、不安な気持ちがまるで
山のように大きくて、いつまでも
小さくならないと考えている
かもしれない。

それとも、不安がもっと大きく
なって、そのうち火山みたいに
爆発するかもしれないと考えて
いるだろうか。

でも実際は、不安になること
（自転車の練習のようなこと）でも、
時間をかけて練習すればするほど、
だんだん慣れて、不安は小さくなって
いくんだ。こわい気持ちって、
太陽の下の氷のかたまりみたいな
ものだよ。時間がたつと、本当に
小さくなるんだ！

マヤは、夏休みの日帰りキャンプに行くのがとても不安だった。でもマヤは、練習の大切さに気づいたよ。つぎのお話を読んでみよう。

１日目の朝、マヤはキャンプに行くのがいやでたまらなかった。そこで、おなかが痛いと言って泣きつづけていたら、お母さんは、今日は行かなくてもいいよと言ったんだ。それで、その日は気分がよくなった。でもつぎの日は、どうなったと思う？　マヤは、つぎの日もやっぱり不安だった――本当は、前の日よりももっと不安になってしまったんだ！

マヤの不安な気持ちは、負けてはいなかった。家にいられたことで、その日は気分がよくなったかもしれないけど、それでうまく解決しておしまいではなかったんだ。こわい気持ちを避けていると、それはいつまでもなくならないよ。

　そこでマヤは、3日目になる前に、練習することに決めたんだ。

　2日目の夜、マヤはお母さんと、「行ってきます」を言う練習をしたよ。そしてつぎの朝、お母さんといっしょに、だれよりも早くキャンプ場へ行った。ほかの子たちが来る前に、キャンプに参加する練習ができるようにね。

　その日から毎日、マヤは勇気を出して、キャンプに行けるようになった。数日たったら、不安は溶けてしまったよ。

　その週の終わりには、マヤはキャンプに行くのが楽しみになって、「行ってきます」を言うのも、もうあまりつらくなくなった。

こわいと思うことを練習しないでいると、もっとこわくなることもある。自転車の運転や、気球の操縦は、練習しないでいると腕がなまってしまう。そうすると、つぎに練習しようとしたときには、思い出すのにもっと苦労するよ。

　不安な気持ちをやっつけるためには、練習しなくてはならないんだ。**現実に合う考え、上向きの考え、役に立つ行動** を使って、きみがふだん、こわいと思っていることに慣れる練習をしてみよう。楽しめるようにだってなるかもしれないよ。練習すればするほど、かんたんになっていくんだ。自転車や気球に乗るのと同じことだよ！　はじめはむずかしいとか、こわいと思ったとしても、不安な気持ちはやっつけることができるんだ。

　きみは、あきらめないで自転車の練習を続けた。そうしたら、不安はしだいに小さくなっていったよね。自転車と同じように、何度も何度も練習すれば、親から離れるのがこわいという気持ちも小さくなっていくよ。こわい気持ちから逃げずに、立ち向かってみよう。不安なことをやりつづけることを、**不安と向き合う** というんだ。不安と向き合うことで、きみの不安はどんどん小さくなっていくよ。

　つぎの章では、不安をやっつける練習の飛行計画を立てるよ。何度も練習して不安と向き合えば、早く不安がなくなって、きみは気球の操縦を、もっとたくさん楽しめるようになるんだ！

第7章

飛行計画を立てよう

　優秀なパイロットになるひけつは、飛行時間を多く積み重ねることだよ。気球に乗って飛ぶ練習をたくさんするんだ。新人のパイロットが飛行訓練をするときは、一度に高度を上げたりしない。低いところから始めて、ゆっくりゆっくり、少しずつ、自分の行きたいところまで高度を上げていくんだ。

ひとりでいる練習も同じだよ。あまりむずかしくないことから始めればいいんだ。少しだけむずかしい場面で、少しだけチャレンジしなくてはいけないことをやってみよう。それから、つぎにもうちょっとむずかしい場面を選んでみよう。こんなふうに、ゴールへ向かって、少しずつ練習を続けていくといいよ。

きみがもっと勇気がほしいと思うのは、どんなときだろう？

第1章の最後にきみが書いたことを思い出してもいいね。

むずかしいことだけじゃなくて、ちょっと不安だけど、**それほど**むずかしくないことも選んでみよう。

- むずかしいこと ―― 友だちの家に泊まる

- **それほど**むずかしくないこと ―― 友だちの家で、ご飯を食べたり映画を見たりする

- むずかしいこと ―― 数時間、ベビーシッターとるすばんをする

- **それほど**むずかしくないこと ―― 15分だけベビーシッターと過ごすのは、もっとかんたんだね

- むずかしいこと ―― 自分の部屋に、一晩じゅうひとりでいること

- **それほど**むずかしくないこと ―― 自分の部屋で、15分間だけひとりで遊ぶこと

きみが勇気を出してやってみたいことを、3～6こ考えて書いてみよう。

1. _____

   _____

2. _____

   _____

3. _____

   _____

4. _____

   _____

5. _____

   _____

6. _____

   _____

今度は、それぞれの場面でどのくらいこわい気持ちになったかを、下の温度計ではかって、順番をつけてみるよ。一番らくだったことを温度計の一番下に、一番つらかったことを一番上に、順番に書いていこう。らくだったこと、まあまあつらかったこと、とてもつらかったこと、それぞれ1つか2つずつ書きこもう。

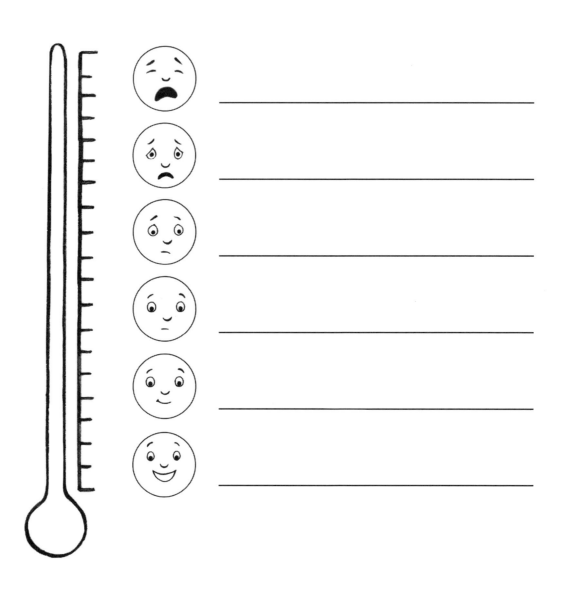

これが、きみの飛行時間を増やすための飛行計画で使う場面だよ。一番かんたんなものから始めてみよう！

一番かんたんなものの中から、いくつか選んで練習していくよ。

最初に、温度計に書いた場面を、お母さんやお父さん、この本をいっしょに読んでいる人と見てみよう。

ちょっと不安だけど一番かんたんだと思うものはどれかを考えて、どんな順番で練習するかを、大人と相談しながら決めよう。

70〜71ページにきみの飛行計画書があるよ。左の欄には、きみが選んだ場面を書こう。その場面にだれが出てくるのか、その人はどんなことをするのかも書こう。

イザベラの書いた飛行計画書を見てみよう。

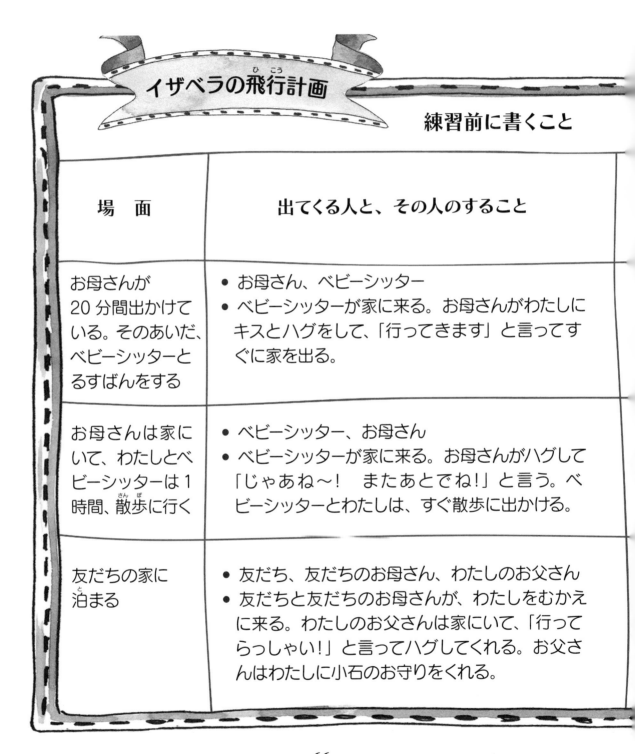

イザベラの飛行計画	練習前に書くこと
場　面	**出てくる人と、その人のすること**
お母さんが20分間出かけている。そのあいだ、ベビーシッターとるすばんをする	• お母さん、ベビーシッター • ベビーシッターが家に来る。お母さんがわたしにキスとハグをして、「行ってきます」と言ってすぐに家を出る。
お母さんは家にいて、わたしとベビーシッターは1時間、散歩に行く	• ベビーシッター、お母さん • ベビーシッターが家に来る。お母さんがハグして「じゃあね〜！　またあとでね!」と言う。ベビーシッターとわたしは、すぐ散歩に出かける。
友だちの家に泊まる	• 友だち、友だちのお母さん、わたしのお父さん • 友だちと友だちのお母さんが、わたしをむかえに来る。わたしのお父さんは家にいて、「行ってらっしゃい!」と言ってハグしてくれる。お父さんはわたしに小石のお守りをくれる。

イザベルは練習の前と後に、不安な気持ちの大きさをはかってみたよ。1が「不安ではない」、10が「すごく不安」だよ。

ぼく/わたしが考えることや、すること	練習した時間	練習の後に書くこと	
		練習前の不安の大きさ（1～10）	練習後の不安の大きさ（1～10）
お母さんに「すぐ会えるよね」と言って、わたしは勇気があるからだいじょうぶ、と自分に言う。それから、ベビーシッターとボードゲームで遊ぶ。	20分間	3	1
上向きの考えのカードを見て、わたしの好きな歌をベビーシッターに歌ってあげる。	1時間	5	2
小石をポケットに入れて、お父さんとハイタッチする。「友だちの家で楽しもう。わたしが帰ったら、お父さんはちゃんと家にいるんだから」	一晩じゅう	9	3

「ぼく/わたしが考えることや、すること」の欄に、イザベラが何を書いたかを見てみよう。これが、第3章から第5章で習った方法を練習する部分だよ。**役に立たない考え** に対抗して、**現実に合う考え** をしたり、自分をもり上げる **上向きの考え** をしたりしよう。それに、ゲームをしたり、**上向きの考え** を書いたカードを見たり、お守りのぬいぐるみを抱きしめたり、ベビーシッターとおしゃべりしたりといった、**役に立つ行動** をするといいね。

　きみが勇気を持って気球を操縦するために、どんなことが役に立つかは自分しだいだよ。イザベラのアイデアの中で、きみにも合うものはあるかな？

さあ、今度はきみの番だ！　お母さんやお父さんといっしょに、つぎのページの飛行計画書を書いてみよう。計画書をコピーすれば、もっとたくさんの場面に使えるよ。

少し不安になるけどかんたんな場面から始めて、順番にむずかしい場面へと進んでいこう。気球を暖めて、よく飛ぶようにするために、どんなことを考えたり、したりすればいいか考えてみよう。**現実に合う考え、上向きの考え、役に立つ行動** を忘れないで！

練習はすぐに始めるのがいいよ。別れるのにあまり時間をかけると、さよならするのがもっとつらくなるからね。実際に**離れている**ときの不安よりも、親と離れることを**考えている**ときの不安の方が、乗りこえるのがたいへんなんだ。

右の列の２つの欄はまだあけておこう。２行目よりあとに、少しむずかしい場面や、とてもむずかしい場面の計画も作っていこう。

ぼく/わたしの 飛行計画(ひこう)

練習前に書くこと

場　面	出てくる人と、その人のすること

70

ぼく/わたしが考えることや、すること	練習した時間	練習の後に書くこと	
		練習前の不安の大きさ (1 ～ 10)	練習後の不安の大きさ (1 ～ 10)

71

さあ、ごほうびは、なににしようか！　練習が１つできたときの
ごほうびを、この本をいっしょに読んでいる親や大人と、相談して決
めてもいいよね。飛行計画のかんたんな場面には小さなごほうび、少
しむずかしい場面には中くらいのごほうび、もっとむずかしい場面な
ら、大きなごほうびがいいかもしれない！　こんなごほうびはどう？

小さなごほうび

親といっしょにゲームをする、近くの公園に遊びに行く、
本を読む

中くらいのごほうび

おじいさん・おばあさんといっしょに夕食を食べる、
クッキーを焼く、家でダンスをする

大きなごほうび

動物園やプールに行く

きみときみのお父さん・お母さんは、どんなごほうびを考えた？
ごほうびの大きさをどうするかは、きみが決めればいいんだよ。

小さなごほうび

_____

_____

_____

_____

中くらいのごほうび

_____

_____

_____

_____

_____

大きなごほうび

_____

_____

_____

_____

_____

飛行計画が完成したら、いよいよ離陸の時間だよ！

さあ、離陸だ！
飛行時間を増やしていこう

　この章では、きみの飛行計画を実行するよ。優秀なパイロットになる訓練の始まりだ。

　この章をやり終えるまでには、何週間もかかるかもしれない。でも心配しないで！　いろいろな場面を何日間かずつ試しながら、どんな気持ちになるかを見ていく練習なんだ。

　時間がかかってもいいんだよ。飛行計画にそって、実際の生活の中でじっくりと、きみの力を試していくのをがんばることがとても大切だからね。

　優秀なパイロットになるためには、たくさん飛行時間の記録を増やしていかなければならない。そのことをお忘れなく！

成功のヒントを教えよう。

1．練習を始める前に、予行練習をしてみよう。練習の練習みたいなものだよ。たとえば、お母さんが出かけると想像して、その場面を演じてみるんだ。そうすれば、ベビーシッターが来てお母さんが本当に出かけるときにも、どうすればいいかがわかるようになるよ。

2．家の中の、だれにもじゃまされないところで練習しよう。学校でするときは、ほかの子にじゃまされないように、授業が始まる前に先生といっしょに練習するといいね。

3．練習する時間になったら、練習のことをいつまでもしゃべっていないで、すぐに始めよう。親と離れる直前の、さよならを言うときが一番つらいときだよね。だから、あれこれ説明したりせずに、すぐに練習に取りかかることが大切なんだ。そうしたら、そのあとはだんだん、かんたんになるよ！

4．不安な気持ちがへっていくのが感じられるように、その場にしばらくとどまっていよう。同じ場面の練習を、何度かくり返さなければならないかもしれない。たとえば、ベビーシッターと20分間いっしょにいると、少しずつ不安が小さくなっていくのに気がつくだろう。もっと練習をくり返しているうちに、不安はどんどん小さくなっていくよ。

5．はじめは少し不安を感じてもいいんだ。まったく不安に思わないとしたら、選んだ場面がかんたんすぎたんだね。ちがう場面を選んで、やり直してみよう！

6．飛行計画にそって練習が終わったら、うまくいったかどうかを記録しよう。上手にできたことを記録しておけば、つらくなったときにも、元気がわいてくるよ。

7．毎日練習しよう。1週間から2週間、毎日続けて練習しよう。一番かんたんな練習から始めて、1、2週間たったら、一番むずかしい練習ができるようにね。同じ場面を何回くり返すかは、きみやきみの両親が決めればいいよ。選んだ場面によっても変わるだろう。一番かんたんな練習は一度だけでOKという子もいるし、安心するまで3回は練習したいという子もいる。そこから、中くらいの場面へ、そしてもっとむずかしい場面へと進んでいけばいいんだ。

8．一日に同じ練習を何回やってもいいし、必要なら何日でも続けていいよ。少しずつ練習時間を長くしていこう。たとえば、両親が15分外出するときの練習なら、つぎは出かける長さを30分、そのつぎは1時間、そしてもっと長い時間へとのばしていくんだ。

準備ができたら、飛行計画の最初の場面から始めよう。練習する場面の実際の場所に行ってやってみよう。飛行計画を見ながら練習を始めたとき（お母さんやお父さんが出かける直前）には、どのくらい不安だったかをはかってみよう。

練習が終わったら、飛行計画の一番右の欄に、練習が終わるころの不安の大きさをはかって書きこもう。練習が終わるころ（お母さんやお父さんが帰ってくる数分前とか、練習がもうすぐ終わるときとか）には、気分が少しよくなっただろうか？

78

練習がいくつでもできるように、飛行計画書のページをコピーした
り、別の紙で作ったりするといいね。1週間から2週間、練習を続
けて不安な気持ちが小さくなったことに気づいたら、つぎの章へ進む
準備は完了だよ！

第9章

景色を楽しもう！
勇気を持ちつづけよう！

　しっかり練習をしたおかげで、きみには勇気と、気球を飛ばす自信がついたよ。学校へ行くことや、親としばらく離れることは、自分が成長して強くなったり、自分をよく思えるようになったりするチャンスで、楽しいことなんだ。きみも、そう考えられるようになったかな？

飛行時間がたっぷり増えて自信がついたら、覚えたわざを忘れないようにしよう。

　どんなにたくさんの経験をしても、ときどきはまだ、不安に思うことがあるかもしれないね。でも、だからといって飛び方を忘れたわけではないよ。たまに逆もどりすることがあるのは、ふつうのことなんだ。

　新しくこわい気持ちになることが起こっても、もうきみは、それを乗りこえる方法をたくさん知っているんだ。逆もどりだって、練習できるよいチャンスだと思えばいい。

　練習すればするほど、逆もどりや新しく起きたこわい気持ちに、上手に立ち向かえるようになるよ。

　たとえば、春休みが終わった新学期の最初の日を想像してみよう。前の晩におなかが痛くなって、学校へ行くのがこわくなってきたら、きみはどうする？

そんなときは、これまでにやった飛行訓練を思い出すんだ。

飛行学校　入門編
恐れに勝って飛び立とう

1. **視界をチェック**——役に立たない考えが、目の前をじゃましていないか?

2. **雲を取りのぞこう**——太陽が黒い雲を焼ききるように、もっと現実に合った考え方をしよう

3. **温度を上げよう**——自分について上向きの考えをしよう。気球の温度を上げればどんな経験ができるか、上向きに考えよう。

4. **おもりをはずそう**——きみを押さえつけて飛べないようにしている、役に立たない行動にさよならを言おう。

5. **役に立つ行動をしよう**──さらに温度を上げよう。

6. **時間をかけて、自分のこわい気持ちに立ち向かおう**
   ──あせらずに、時間をかけて、こわさが小さく
   なっていくのを感じよう。

7. **練習！　練習！　練習！**──せっかく覚えたわざを、
   さびつかせないように！　親と離れる練習を続けて、
   ずっと優秀なパイロットでいよう。

もっとこわい気持ちが起きそうになったら、学んだ方法を思い出して、できるだけ早くその場面と向き合おう。こわさと向き合うことが、こわさを追いはらうベストな方法なんだ。気球に乗って、顔にかかる風や日ざしを感じるのは、とっても気持ちがいいよ！

きみならできる！

　気球の操縦を習うのはとてもたいへんなことだけど、きみはもうプロになりつつあるよね。練習すればするほどかんたんになるよ。はじめて自転車に乗る練習をしたときは、一生けんめい考えなくてはならなかったけど、今はもうかんたんに乗れるよね。それはたくさん練習したからなんだ。

　きみは勇気があって強いし、新しいわざを身につけることもできた！　だから、家から離れていても平気だし、世界をもっと知ることができて、楽しい経験をとてもたくさんできるようになったんだ！
想像してみよう。空高く飛ぶきみは、景色を楽しみながら、新鮮な空気を胸いっぱいに吸いこむ。パイロットになった自分を、絵に描いてみよう。落ち着いて自信あふれる、堂々としたプロの飛行士だ。

ここに、
きみの絵を
描こう！

目標飛行時間の達成、おめでとう！　きみは優秀なパイロットの資格を得ることができた。これが、きみのパイロット資格証明書だよ。

資格証明書

_____
（日付を書く）

_____　は、
（きみの名前を書く）

　現実に合う考えで、役に立たない考えの黒い雲を焼ききり、役に立たない行動のおもりをはずした。そして、上向きの考えと役に立つ行動で気球の温度を上げ、さらなる上空と新しい経験に向かって飛び立つことのできる、**優秀なパイロット**となったことを、ここに証明する。

[著者]
クリステン・ラベリー博士　Kristen Lavallee, Ph.D.
発達心理学者として、また学校心理士としてアメリカとスイスの子どもたちを支援してきた。分離不安の治療に関する実証研究論文や本を共同執筆し、科学誌 *European Psychologist* の編集長を務める。アメリカ・ロードアイランド州のプロヴィデンスに家族と住む。

シルビア・シュナイダー理学博士　Silvia Schneider, Dr. rer. nat.
ドイツ・ルール大学ボーフムの児童臨床心理学の教授。子どもの分離不安障害（SAD）に関する諸研究を行い、ドイツの SAD 治療マニュアルの執筆者である。

[イラストレーター]
ジャネット・マクドネル　Janet McDonnell
アメリカ・イリノイ州シカゴ郊外在住のライター、イラストレーター。多くの児童書や子ども向け雑誌の絵を手がける。

[訳者]
上田 勢子（うえだ せいこ）
東京生まれ。1977 年、慶應義塾大学文学部社会学科卒。79 年より、アメリカ・カリフォルニア州在住。これまでに 100 冊を超える児童書、一般書の翻訳を手がける。主な訳書に『イラスト版 子どもの認知行動療法』シリーズ全 10 巻、『LGBTQ ってなに？』（共に明石書店）、『子どもの「こころ」を親子で考えるワークブック』全 3 巻（福村出版）、『ひとりでできる中高生の PTSD ワークブック』（黎明書房）、『きみにもあるいじめをとめる力』『ネット依存から子どもを守る本』（共に大月書店）などがある。

だいじょうぶ 自分でできる 親と離れて飛び立つ方法ワークブック
[イラスト版 子どもの認知行動療法 10]

2020 年 3 月 31 日　初版第 1 刷発行

[著 者]	クリステン・ラベリー／シルビア・シュナイダー
[絵]	ジャネット・マクドネル
[訳 者]	上田勢子
[発行者]	大江道雅
[発行所]	株式会社 明石書店
	〒 101-0021 東京都千代田区外神田 6-9-5
	電話　03(5818)1171　FAX　03(5818)1174
	振替　00100-7-24505　http://www.akashi.co.jp
[AD・装丁]	山田 武
[印 刷]	株式会社文化カラー印刷
[製 本]	協栄製本株式会社

ISBN978-4-7503-4979-4
Printed in Japan
（定価はカバーに表示してあります）

イラスト版
子どもの認知行動療法

《6〜12歳の子ども対象 セルフヘルプ用ガイドブック》

子どもによく見られる問題をテーマとして、子どもが自分の状態をどのように受け止めればよいのか、ユーモアあふれるたとえを用いて、子どもの目線で語っています。問題への対処方法も、世界的に注目を集める認知行動療法に基づき、親しみやすいイラストと文章でわかりやすく紹介。絵本のように楽しく読み進めながら、すぐに実行に移せる実践的技法が満載のシリーズです。保護者、教師、セラピスト、必読の書。

① だいじょうぶ 自分でできる **心配の追いはらい方ワークブック**

② だいじょうぶ 自分でできる **怒りの消火法ワークブック**

③ だいじょうぶ 自分でできる **こだわり頭 [強迫性障害] のほぐし方ワークブック**

④ だいじょうぶ 自分でできる **後ろ向きな考えの飛びこえ方ワークブック**

⑤ だいじょうぶ 自分でできる **眠れない夜とさよならする方法ワークブック**

⑥ だいじょうぶ 自分でできる **悪いくせのカギのはずし方ワークブック**

⑦ だいじょうぶ 自分でできる **嫉妬の操縦法ワークブック**

⑧ だいじょうぶ 自分でできる **失敗の乗りこえ方ワークブック**

⑨ だいじょうぶ 自分でできる **はずかしい！[社交不安] から抜け出す方法ワークブック**

⑩ だいじょうぶ 自分でできる **親と離れて飛び立つ方法ワークブック**

著：①〜⑥ ドーン・ヒューブナー　⑦〜⑨ ジャクリーン・B・トーナー、クレア・A・B・フリーランド
　　⑩ クリステン・ラベリー、シルビア・シュナイダー
絵：①〜⑥ ボニー・マシューズ　⑦ デヴィッド・トンプソン　⑧〜⑩ ジャネット・マクドネル
訳：上田勢子

B5判変型 ◎1500円

〈価格は本体価格です〉

心の発達支援シリーズ

【全6巻】

[シリーズ監修]
松本真理子、永田雅子、野邑健二

◎A5判／並製／◎各巻2,000円

「発達が気になる」子どもを生涯発達の視点からとらえなおし、保護者や学校の先生に役立つ具体的な支援の道筋を提示する。乳幼児から大学生まで、発達段階に応じて活用できる使いやすいシリーズ。

乳幼児
第1巻 **育ちが気になる子どもを支える**
永田雅子【著】

幼稚園・保育園児
第2巻 **集団生活で気になる子どもを支える**
野邑健二【編著】

小学生
第3巻 **学習が気になる子どもを支える**
福元理英【編著】

小学生・中学生
第4巻 **情緒と自己理解の育ちを支える**
松本真理子、永田雅子【編著】

中学生・高校生
第5巻 **学習・行動が気になる生徒を支える**
酒井貴庸【編著】

大学生
第6巻 **大学生活の適応が気になる学生を支える**
安田道子、鈴木健一【編著】

〈価格は本体価格です〉

Thirty Million Words: Building a Child's Brain

3000万語の格差

赤ちゃんの脳をつくる、
親と保育者の話しかけ

ダナ・サスキンド〈著〉

掛札 逸美〈訳〉 高山 静子〈解説〉

◎A5判／並製／272頁　◎1,800円

算数や国語の学力、粘り強さ、自己制御力、思いやり……、生まれた瞬間から最初の数年間に、親や保育者が子どもとどれだけ「話したか」ですべてが決まる。日本の子育て、保育が抱える課題とその解決策を、科学的な裏づけと著者自身の具体的な実践から示した書。

【内容構成】

私たちの未来に起こすすばらしいこと。

「3つのT」が

子どもと
交互に対話する
Take Turns

子どもと
たくさん話す
Talk More

注意とからだを
子どもに向けて
Tune In

〈価格は本体価格です〉